www.librosalfaguarainfantil.com

Torrelaguna, 60. 28043 Madrid
Teléfono: 91 744 90 60

ISBN: 978-84-204-1173-6
Depósito legal: M-4.882-2012
Printed in Spain — Impreso en España

Primera edición: marzo de 2012

Coordinador de la colección: Arturo Pérez-Reverte

Maquetación: Igor del Barrio

EL DETECTIVE LUCAS BORSALINO

Juan Marsé

Ilustraciones de
Roger Olmos

GIROL SPANISH BOOKS
P.O. Box 5473 LCD Merivale
Ottawa, ON K2C 3M1
T/F 613-233-9044 www.girol.com

ALFAGUARA

Cuando Lucas cumplió siete años, el regalo que más le gustó, de todos cuantos le hicieron, fue un viejo sombrero que había usado su abuelo. Era de color gris, con una cinta negra sobre el ala. El abuelo lo llamaba *borsalino*. Decía que estaba hecho con piel de conejo belga y que había pertenecido a gánsteres y a detectives.

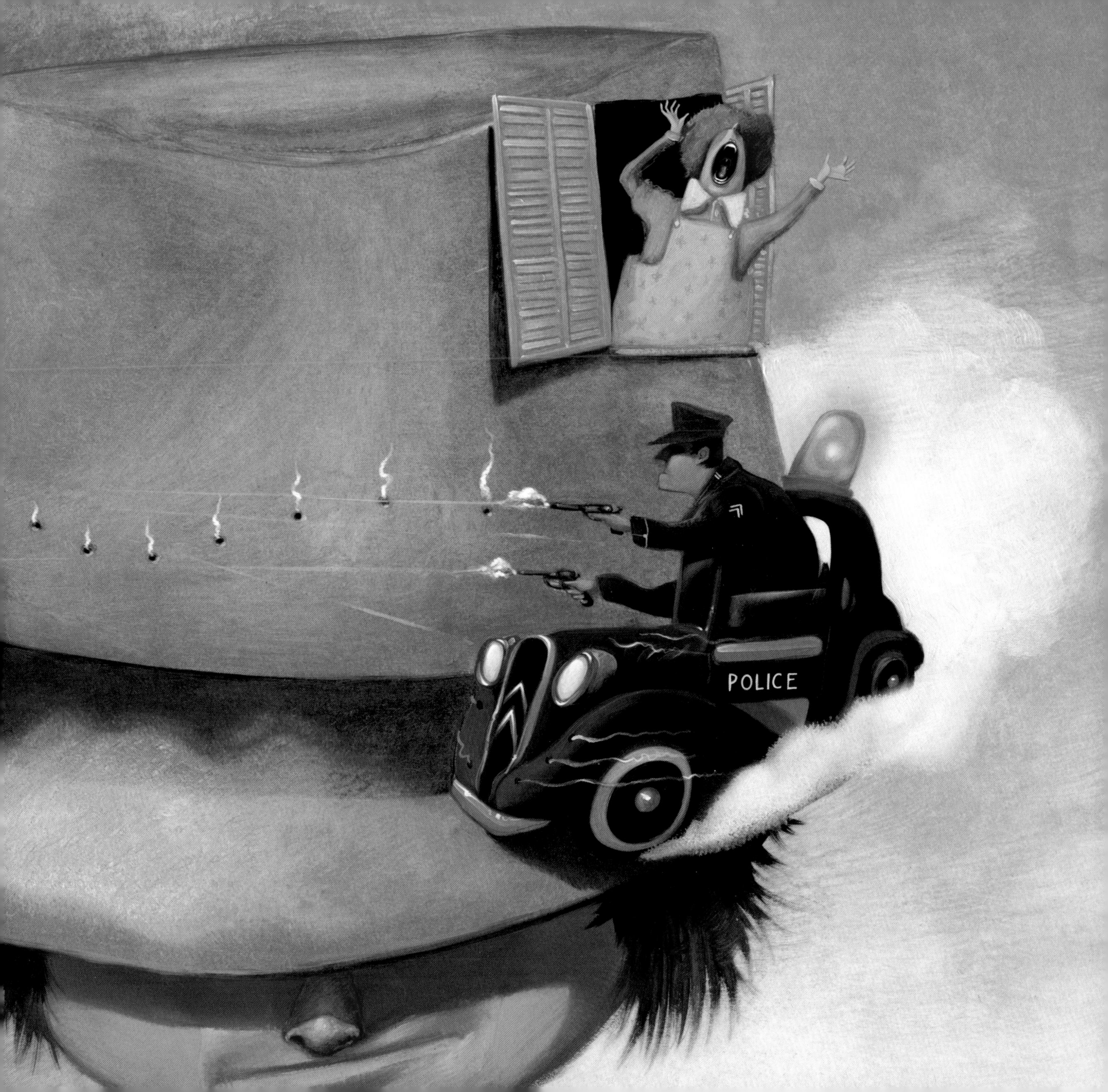
POLICE

DETECTIVE
LUCAS
BORSALINO

A Lucas el sombrero le quedaba un poco grande, pero se veía en el espejo con aspecto de detective.
Y así fue como Lucas decidió que sería detective y puso un cartel en la puerta de su habitación:
DETECTIVE LUCAS BORSALINO.

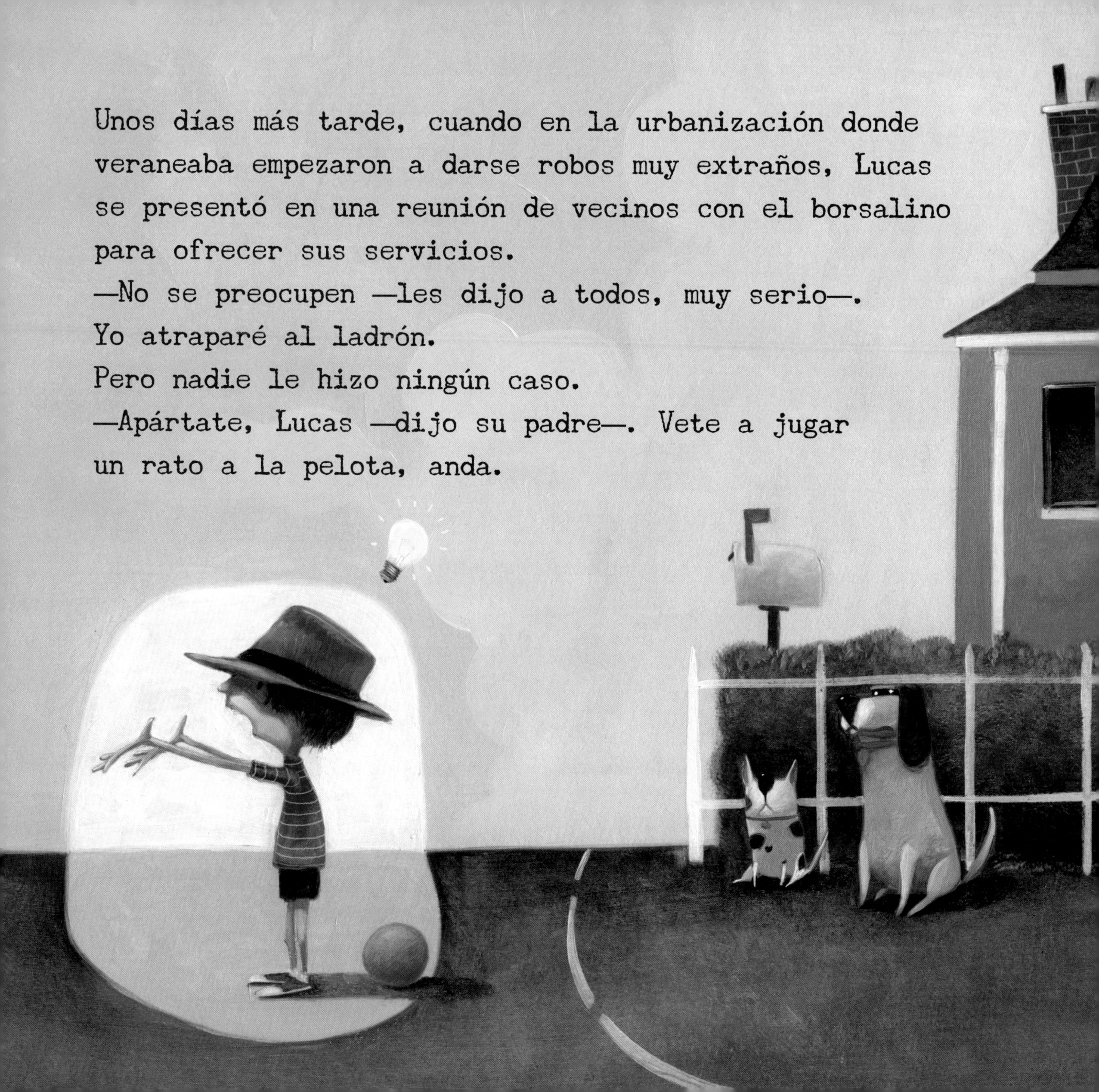

Unos días más tarde, cuando en la urbanización donde veraneaba empezaron a darse robos muy extraños, Lucas se presentó en una reunión de vecinos con el borsalino para ofrecer sus servicios.

—No se preocupen —les dijo a todos, muy serio—. Yo atraparé al ladrón.

Pero nadie le hizo ningún caso.

—Apártate, Lucas —dijo su padre—. Vete a jugar un rato a la pelota, anda.

—Yo digo que son las urracas —opinó el vecino de al lado de su casa, un señor muy gordo al que le habían robado un jamón entero—. A las urracas les gustan las cosas que brillan, y mi jamón estaba envuelto en papel de plata.

—Pues a mi padre le han robado el reloj, y a mi madre el bikini plateado —dijo Lucas—. Y también se han llevado el chupete de mi hermano pequeño, y ahora está insoportable y no para de llorar.

—Cállate, Lucas —le ordenó su madre—. No te metas en los asuntos de los mayores.

—A mí me han *fofado la fentafura fostiza* —declaró la vecina del otro lado, una viejita que alimentaba a todos los gatos de la urbanización.

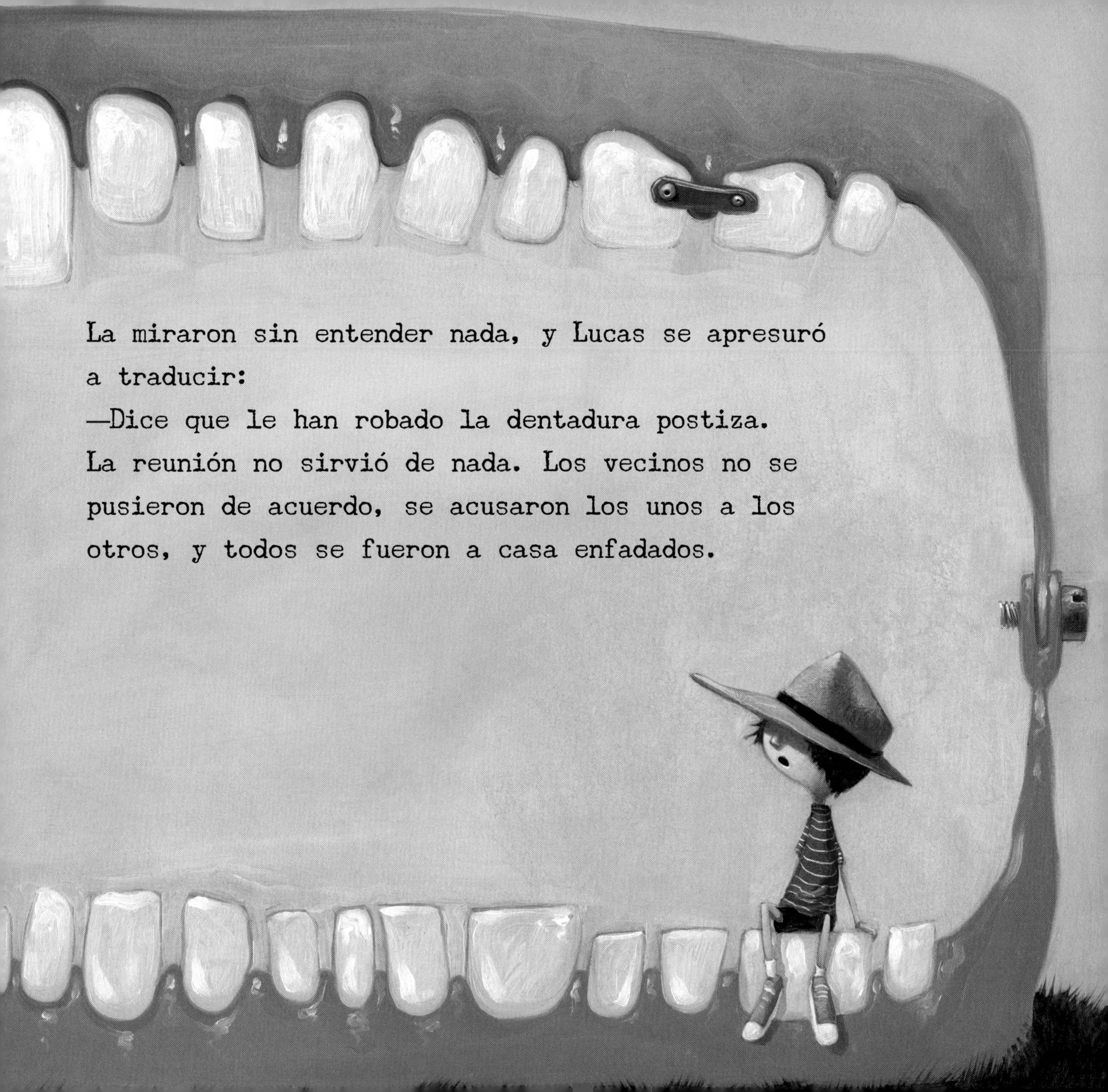

La miraron sin entender nada, y Lucas se apresuró a traducir:

—Dice que le han robado la dentadura postiza.

La reunión no sirvió de nada. Los vecinos no se pusieron de acuerdo, se acusaron los unos a los otros, y todos se fueron a casa enfadados.

Por la noche, los berridos del bebé, clamando por su chupete, no dejaban dormir a Lucas. Así que se armó de valor, de linterna y de pistola de agua, y salió al jardín en pijama y borsalino, dispuesto a investigar por su cuenta.

Pero enseguida se dio la vuelta, volvió corriendo a casa y se metió en la cama de un salto, del miedo que tenía.

Se tapó con la sábana hasta lo alto del sombrero y, de pronto, escuchó una voz:

—¡Vaya un desastre de detective!

Pero Lucas no vio a nadie en el cuarto.

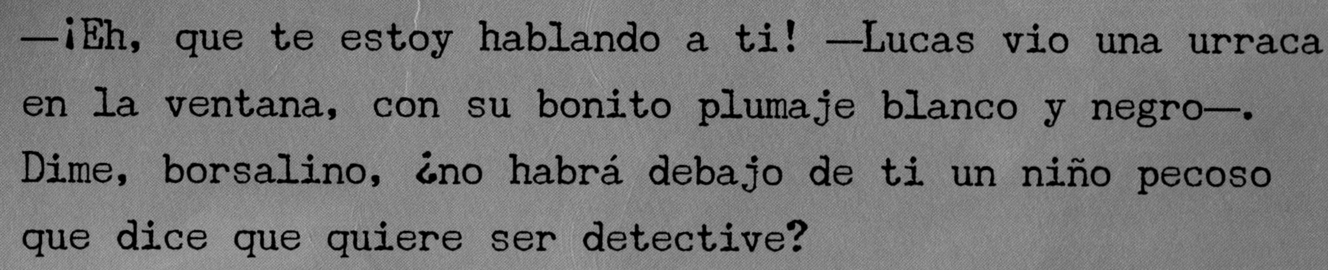

—¡Eh, que te estoy hablando a ti! —Lucas vio una urraca en la ventana, con su bonito plumaje blanco y negro—. Dime, borsalino, ¿no habrá debajo de ti un niño pecoso que dice que quiere ser detective?

De repente Lucas tuvo una idea y se incorporó en la cama.

—¡Claro! —exclamó—. ¡Has sido tú!

—¡Claro! —le imitó la urraca con su voz estridente—. ¡He sido yo! Te crees muy listo, ¿verdad? Hace tiempo que aprendí vuestra lengua, colega. Sois vosotros los que aún no habéis aprendido la nuestra.

—Quiero decir... que tú has robado todas esas cosas. ¡Devuélvelas!

—¡Ay, Lucas, Lucas! —se lamentó la urraca, meneando la cabeza—. Si de verdad quieres ser detective, primero tienes que aprender a pensar como un detective.

—Y se acercó a la cama dando saltitos—. Vamos a ver. Que a las urracas nos gustan las cosas brillantes es cierto, pero ¿no crees que una pata de jamón pesa demasiado para nosotras?

Lucas asintió con la cabeza. La urraca añadió:

—¿Y de qué puede servirnos el chupete de un llorón o un bikini plateado?

Lucas se encogió de hombros. Era realmente una urraca muy lista.

—En cuanto al reloj de tu padre... Vale, lo reconozco —admitió la urraca—, ¡me gustaba muchísimo! Pero me temo que alguien se me adelantó. ¿Conclusión?

—¡Mmmm...! —meditó Lucas—. Que no has sido tú.

—¡Exacto! —gritó la urraca, y Lucas se puso muy contento—. ¿Ves como no es tan difícil? Y ahora que has aprendido a pensar como un detective, prepárate para la segunda lección de esta noche. Levántate, te acompañaré hasta la guarida del ladrón.

—Pero ¿de verdad sabes quién es?

La urraca movió el pico arriba y abajo, muy ufana.

—Claro, colega. Le conozco muuuy bien.

Lucas Borsalino y la urraca salieron al jardín y esperaron al ladrón escondidos detrás de las flores. No tardó demasiado. En la oscuridad, a Lucas le pareció algo más grande y peludo que un gato.

—¡Ahora! —dijo la urraca.

Lucas enfocó la linterna y lo primero que vio fue el flotador pinchado que su madre había tirado a la basura aquella misma mañana, arrastrado por las diminutas manos de un mapache. Sí, era un mapache, con su antifaz de ladrón profesional, su cola rayada y los mofletes llenos de comida. Parecía muy enfadado por esa intromisión en sus asuntos, y protestaba en voz baja.

—¿Qué dices? ¿Qué dice? —le preguntó Lucas a la urraca.

—Dice que le hemos dado un susto de muerte. Que solo ha robado algo de comida que la viejita deja para los gatos, y que el flotador se lo ha encontrado en la basura. Yo digo que miente. —Puso ojitos de urraca traviesa—. ¿Y tú?

—Yo digo que no —respondió Lucas—. Está diciendo la verdad.

El mapache se sentó sobre el trasero y negoció largo rato con la urraca.

—Dice que no sabe nada de un bikini plateado,
pero que devolverá todo lo demás a cambio de tu sombrero.
—¿Mi borsalino? ¡Ni hablar!
La segunda lección que debe aprender todo buen detective,
negociar con un astuto mapache, estaba resultando
muy complicada para Lucas.
—Vamos a ver —dijo al fin, y con sueño—. Dile
que puede quedarse el jamón de mi vecino, que
ya está muy gordo, y que no le diré a nadie
que se lleva la comida de los gatos.

Fue un buen trato para todos. Lucas dejó la dentadura en el buzón de su vecina, el reloj de su padre en la mesilla de noche, el chupete en la boca de su hermano, y luego se acostó muy cansado y orgulloso de sí mismo.

—Que duermas bien, detective Lucas Borsalino —se despidió la urraca desde la ventana—. Mañana nos espera otro caso difícil... ¿Quién ha robado el bikini plateado de tu madre? ¿Eh?

Este libro se terminó de imprimir
en Madrid, en el mes de
marzo de 2012.

1
2
3
FREEDOM FOR FISH!